Mercy Watson à la rescousse

Kate DiCamillo
Mercy Watson
à la rescousse

Illustrations de *Chris Van Dusen*

Texte français de *Dominique Chichera*

Éditions SCHOLASTIC

Catalogage avant publication de Bibliothèque et Archives Canada

DiCamillo, Kate
Mercy Watson à la rescousse / Kate DiCamillo; illustrations de
Chris Van Dusen; texte français de Dominique Chichera.

(Mercy Watson)
Traduction de : Mercy Watson to the rescue.
Niveau d'intérêt selon l'âge : Pour enfants de 6 à 8 ans.
ISBN 978-0-545-99116-2

I. Van Dusen, Chris II. Chichera, Dominique III. Titre.
PZ23.D51Mea 2008   j813'.6   C2008-900179-6

Édition publiée par les Éditions Scholastic, 604, rue King Ouest, Toronto
(Ontario) M5V 1E1, avec la permission de Candlewick Press.
5 4 3 2 1   Imprimé au Canada   08 09 10 11 12

Le texte est composé avec la police de caractères Mrs. Eaves.
Les illustrations ont été faites à la gouache.

*Pour Alison McGhee, qui aime les rôties chaudes
tartinées généreusement de beurre*

K. D.

Pour Guggy, avec tout mon amour

C. V.

Chapitre
1

M. et Mme Watson ont un petit cochon, une femelle, qui s'appelle Mercy.

Chaque nuit, ils chantent une berceuse pour l'endormir.

— *Brillant, brillant est le soleil du matin,* chantent M. et Mme Watson, *mais plus brillante encore est celle que nous aimons bien.*

Sombre, sombre est la nuit tombante, mais notre Mercy est tellement éclatante!

Cette berceuse lui fait chaud au cœur, comme si elle venait de manger des rôties chaudes tartinées généreusement de beurre.

Mercy aime les rôties chaudes tartinées généreusement de beurre.

Mais quand M. et Mme Watson éteignent la lumière après l'avoir bordée et embrassée, la chambre se plonge dans le noir.

Dans un noir profond.

Alors le cœur de Mercy se serre et
le goût des rôties au beurre se dissipe.
Elle a peur.

Une nuit, après que M. et
Mme Watson ont chanté leur chanson
qui parle du soleil, ont embrassé
Mercy et ont éteint la lumière,
Mercy prend une décision.

Elle décide qu'elle serait plus
heureuse si elle ne dormait pas seule.
Alors, elle sort de son lit et se glisse
dans celui de M. et Mme Watson.

Elle se blottit contre eux.

Elle a chaud au cœur de nouveau,

comme si elle venait de manger

des rôties chaudes tartinées

généreusement de beurre.

Chapitre
2

M. Watson, Mme Watson et Mercy dorment ensemble.

Ils rêvent.

M. Watson rêve qu'il conduit une voiture très rapide.

— *Vroum! vroum! vroum!* dit M. Watson dans son sommeil.

Mme Watson rêve qu'elle prépare
des rôties au beurre pour Mercy.
Elle en tartine une, puis une autre
et encore une autre.

— Prends-en encore, ma chérie,
dit Mme Watson dans son sommeil.
Mange, miam, miam!

Mercy rêve, elle aussi, de rôties
au beurre.

Dans son rêve, Mercy voit des rôties beurrées empilées dans son assiette bleue préférée et Mme Watson qui en tartine d'autres.

C'est un rêve exquis.

M. Watson dit : « *Vroum! vroum!* »

Mme Watson dit : « Prends-en une autre, ma chérie. »

Mercy renifle et mâchonne dans son sommeil.

M. Watson, Mme Watson et Mercy dorment si profondément qu'ils n'entendent pas le lit craquer.

Ils dorment si profondément qu'ils n'entendent pas le plancher grincer.

Chapitre
3

Un trou se creuse sous le lit des Watson.

CRAC!

Le lit des Watson tombe dans le trou.

M. Watson se réveille.

Mme Watson se réveille.

Mercy se réveille à son tour.

— Que se. . . ? s'écrie M. Watson.

— Oink? grogne Mercy.

— C'est un tremblement de terre!
tonne Mme Watson. C'est la fin
du monde!

— Mais non, répond M. Watson.
Cependant il ne semble pas très
convaincu.

Il semble même effrayé.

Mercy, elle, n'a pas peur.

Mercy a faim.

— Oink? grogne de nouveau Mercy.
Elle se déplace vers le pied du lit.
BOUM!
CRAC!

Le lit s'enfonce un peu plus profondément dans le plancher.

— Ne bougez pas! crie alors M. Watson. Pas un geste, surtout ne bougez pas!

M. Watson, Mme Watson et Mercy se figent sur place.

Mme Watson se met à pleurer.

— Je sais ce qu'il faut faire, dit M. Watson. Il faut appeler les pompiers. Ils viendront à notre secours.

— Mais tu as dit qu'il ne fallait pas bouger, dit Mme Watson. Comment

pouvons-nous appeler les pompiers
si nous ne pouvons pas bouger?

Mercy se souvient de son rêve exquis
au goût de milliers de rôties.

Elle se demande s'il y a des rôties
dans la cuisine.

Pendant que M. et Mme Watson
continuent leur débat, Mercy saute
du lit.

— Regarde! dit Mme Watson.

Mercy s'échappe.

— Elle est partie chercher
du secours, réplique M. Watson.
Elle va prévenir les pompiers.

Mercy sort de la chambre au galop.

Elle est pressée.

Elle se dirige vers la cuisine.

Elle part à la recherche de rôties.

Chapitre
4

cArrivée dans la cuisine, Mercy renifle la table.

Elle renifle les comptoirs de la cuisine.

Elle renifle le sol.

Mais il n'y a de rôties nulle part.

Même pas une miette.

L'estomac de Mercy gronde de déception.

BOUM! CRAC!

— Au secours! crie Mme Watson.

Mercy réfléchit sérieusement.

Où pourrait-elle dénicher
une collation?

22

Et soudain, elle a une idée!

Sœurette Lincoln a toujours des biscuits.

Sœurette Lincoln vit dans la maison voisine.

Et Sœurette Lincoln aime bien partager.

Mercy prend la poignée de la porte de la cuisine dans sa bouche.

Elle la tourne.

— Au secours! crie de nouveau Mme Watson.

Des biscuits, pense Mercy.

Et elle sort.

Chapitre
5

Les sœurs Lincoln vivent dans la maison voisine.

Eugénia Lincoln est la sœur aînée.

Elle a toujours un avis sur tout.

Eugénia pense que les cochons ne devraient pas vivre dans une maison.

Eugénia dit souvent :

— Écoute-moi attentivement, Sœurette.

Les cochons sont des animaux de ferme. Ils doivent vivre dans une ferme et non dans une maison.

— Oui, ma chère sœur, répond Sœurette.

Sœurette Lincoln est la cadette.

C'est le bébé de la famille.

Elle est toujours d'accord avec Eugénia.

C'est plus simple ainsi.

Mais secrètement, Sœurette a sa propre idée sur la question.

Sœurette pense que Mercy est de bonne compagnie.

Quand elle arrive devant la maison des sœurs Lincoln, Mercy regarde par la fenêtre de la chambre de Sœurette.

Elle voit Sœurette qui dort.

Mercy presse son groin contre la vitre.

— Oink, grogne-t-elle.

Mais Sœurette ne l'entend pas.

Mercy renifle.

Mais Sœurette ne se réveille pas.

Mercy cogne contre la vitre avec son sabot.

Sœurette s'assied dans son lit.

— Qui est-ce? demande-t-elle.

Sœurette voit le groin de Mercy collé contre la vitre.

— Un monstre! crie-t-elle. Un monstre à ma fenêtre!

Mercy secoue la tête.

— Eugénia! crie Sœurette. Au secours, à l'aide, il y a un monstre!

Eugénia se réveille.

Elle ne met pas son dentier.

Elle ne met pas ses lunettes.

Elle prend le téléphone et appelle les pompiers immédiatement.

— Il y a une crise de nature incertaine au 52, rue Deckawoo,

dit Eugénia Lincoln. Il faut venir
tout de suite.

Puis, Eugénia enfile sa robe
de chambre et se précipite dans
la chambre de Sœurette.

À son avis, elle a du talent pour
gérer les crises.

Chapitre
6

— Que se passe-t-il ici? demande Eugénia.

— Il y a un monstre dehors, répond Sœurette en montrant la fenêtre.

— Ce n'est pas un monstre, réplique Eugénia. C'est le *cochon* des *voisins*.

— Mercy? dit Sœurette.

Eugénia brandit le poing.

— À mon avis, dit Eugénia, les
cochons sont des animaux de ferme.

— Oui, Eugénia, répond Sœurette.

Eugénia frappe du poing contre
la vitre.

— Sors de mon jardin! crie-t-elle à
Mercy.

— Oh! Eugénia! dit Sœurette. Ne
crie pas après elle. Tu vas la vexer.

— Elle ne ressent rien, crie Eugénia.
C'est un *cochon*!

— Oh, répond Sœurette, je suis sûre
que tu te trompes, ma chère.

—J'ai raison! crie Eugénia. J'ai
toujours raison. Je sais reconnaître
un cochon lorsque j'en vois un!

Eugénia fait une grimace. Elle
presse son nez contre la vitre.

Mercy regarde fixement Eugénia.

Eugénia regarde fixement Mercy.

— *Un cochon*! crie Eugénia.

Elle se détourne et sort précipitamment
de la chambre de Sœurette.

— Oh, ma chère! dit Sœurette Lincoln.
Oh là là!

Chapitre
7

Eugénia s'élance vers Mercy.

Le cœur de Mercy se met à battre plus fort.

Il y a une course poursuite en perspective!

Mercy aime les courses poursuites.

Elle laisse Eugénia s'approcher d'elle.

— Oink! grogne-t-elle en se sauvant précipitamment.

— Sors de mon jardin! crie Eugénia.

— Oink, oink! grogne Mercy.

Elle court en rond.

Elle s'amuse ferme.

— *Interdit aux cochons!*

vocifère Eugénia.

— Oh! Eugénia!
dit Sœurette. Sois prudente,
je t'en prie.

Une sirène hurle.

Un camion de pompiers s'arrête
devant la maison des sœurs Lincoln.

Ned et Lorenzo en sortent.

— Crois-tu que ce soit cela,
l'urgence? demande Ned.

— Ça se pourrait, répond Lorenzo.

Ned et Lorenzo poussent un soupir.

— On ne sait jamais à quoi
s'attendre quand on est pompier,
dit Lorenzo.

— Tu as raison, réplique Ned.
Tout est possible.

Chapitre
8

— Madame, dit Lorenzo à Sœurette, avez-vous appelé les pompiers?

— Oh, mon cher, non! répond Sœurette. Mais c'est peut-être Eugénia.

— Qui est Eugénia? demande Ned.

— Ma sœur, répond Sœurette.

— Est-ce cette dame? demande Lorenzo. Celle qui poursuit le cochon?

— Oui, dit Sœurette, c'est elle.

Sœurette, Ned et Lorenzo regardent Eugénia qui poursuit Mercy partout dans le jardin.

Lorenzo s'éclaircit la gorge.

— Quelle est l'urgence exactement? demande Ned.

— J'ai cru voir un monstre à la fenêtre de ma chambre, répond Sœurette. Mais ce n'était pas un monstre, c'était Mercy.

— Mercy? dit Lorenzo.

— Le cochon, explique Sœurette, le cochon des voisins.

—Je vois, dit Ned.

— Eugénia n'a aucune sympathie
pour Mercy. Elle pense que les
cochons doivent vivre dans une ferme.

— C'est un sujet à discussion,
rétorque Lorenzo.

Ned acquiesce d'un signe de tête.

— Au secours! crie une voix au loin.
Au secours! À l'aide!

— As-tu entendu? demande Ned.

— Quelqu'un a besoin d'aide,
répond Lorenzo. Allons-y!

Chapitre
9

Ned et Lorenzo se précipitent dans la direction d'où vient l'appel à l'aide.

Ils entrent dans la maison des Watson.

— AU SECOURS!

Ils lèvent les yeux.

Ils voient qu'un lit est suspendu au plafond.

Ils voient M. et Mme Watson s'agripper au montant du lit au bord du précipice.

— Nous sommes sauvés! crie Mme Watson.

— Bien sûr que nous sommes sauvés, réplique M. Watson. Mercy a alerté les pompiers.

— Elle est étonnante! s'écrit Mme Watson. Elle est incroyable!

— C'est un véritable *phénomène porcin*! s'exclame M. Watson.

Ned et Lorenzo grimpent les escaliers. Ils prennent M. et Mme Watson dans leurs bras.

Le lit des Watson émet un craquement sinistre et tombe par le trou du plancher.

BOUM !

M. Watson se penche au bord
du trou.

— J'ai toujours eu une confiance aveugle en nos pompiers, déclare M. Watson.

— Tout comme moi, renchérit Mme Watson. Tout comme moi.

Un cri se fait entendre à l'extérieur de la maison.

— Je te tiens! crie Eugénia.

Chapitre
10

Ned, Lorenzo, et M. et Mme Watson
sortent tous de la maison.

Eugénia est assise sur le sol.

Ses bras sont enroulés autour
du cou de Mercy.

Sa joue repose sur le dos de Mercy.

Eugénia, essoufflée, respire très
bruyamment.

— Ce cochon est sur ma propriété, dit-elle.

— Nous aimerions que vous ne l'appeliez pas ainsi, dit Mme Watson.

— Nous voudrions que vous reconnaissiez que c'est un véritable *phénomène porcin*, renchérit M. Watson. Après tout, elle nous a sauvé la vie. C'est une héroïne.

— C'est un *cochon*, insiste Eugénia.

Et elle se met à pleurer.

— Allons, allons, Eugénia, dit Sœurette.

Elle se penche et pose la main sur l'épaule d'Eugénia.

Mercy bâille.

Elle est très fatiguée.

—Je crois que c'est fini, dit Ned.

— Oui, reprend Lorenzo. Notre travail est terminé.

— Attendez, dit Mme Watson. Il est bientôt l'heure de déjeuner.

— Oink? grogne Mercy.

—C'est cela. Le déjeuner, répète
Mme Watson.

Elle dépose un baiser sur la tête
de Mercy.

Elle lève les yeux vers
les pompiers.

—Aimez-vous les rôties?

Chapitre
11

Chez les Watson, Eugénia et
Sœurette Lincoln, M. et Mme Watson
ainsi que Ned et Lorenzo sont assis
autour de la table de la cuisine.

Sans oublier Mercy, bien sûr.

Elle occupe la place d'honneur, au
bout de la table.

Devant elle, sur son assiette bleue
préférée, s'élève une impressionnante

pile de rôties chaudes tartinées
généreusement de beurre.

— Portons un toast à Mercy, dit
M. Watson en levant son verre de jus
d'orange.

— Un toast à notre chérie, notre
bien-aimée, dit Mme Watson.

— Un toast à Mercy, dit Sœurette.

— À mon avis, dit Eugénia, on ne devrait pas lever son verre pour un cochon. Les cochons ne devraient pas s'asseoir à table.

— À notre héroïne, dit M. Watson. Où serions-nous sans Mercy?

— Oui, renchérit Mme Watson. Qui nous aurait sauvés?

— Je ne sais vraiment pas, dit Ned.

— Moi non plus, ajoute Lorenzo.

Ils entrechoquent tous leurs verres.

Mercy a même droit à une autre rôtie au beurre.

Chapitre

12

Dehors, derrière la maison des Watson, le soleil se lève.

Tout d'abord, il est rouge.

Puis, il devient orange.

Il monte de plus en plus haut dans le ciel.

À l'intérieur de la maison des Watson, Mercy est allongée sur le sofa.

Elle s'apprête à faire une petite sieste.

— *Brillant, brillant est le soleil du matin*,

chantent ensemble M. et

Mme Watson, *mais plus brillant encore est*

notre phénomène porcin…

Mercy sourit.

Elle ferme les yeux.

Et elle s'endort avant même la fin

de la berceuse.

Chapitre
1

M. et Mme Watson ont un petit cochon, une femelle, qui s'appelle Mercy. Tous les samedis, Mme Watson prépare un dîner spécial.

— C'est l'heure de notre petit spécial du samedi, dit Mme Watson.

— Vous vous êtes surpassée, Mme Watson, la complimente M. Watson.

— Oink! renchérit Mercy.

Mercy Watson en balade.

Tous les samedis, après le dîner,

M. Watson sort de la maison.

Mercy le suit.

Debout à côté de la voiture,

ils admirent ensemble la décapotable

de M. Watson.

— Es-tu prête? demande M. Watson.

— OINK! répond Mercy.

M. Watson ouvre la portière du

passager. Mercy saute dans la voiture.

Elle s'installe au volant.

Elle renifle de contentement.

Kate DiCamillo est l'auteure de *La quête de Despereaux* et *Winn-Dixie*, pour lesquels elle a remporté respectivement la médaille Newbery et l'honneur Newbery (pour les versions anglaises). Un autre de ses livres, *The Tiger Rising,* s'est classé parmi les finalistes du National Book Award. Elle raconte : « J'avais le personnage de Mercy Watson en tête depuis longtemps, mais je ne savais pas comment raconter son histoire. Un jour, mon amie, Alison, parlait sans fin des nombreux bienfaits des rôties. En l'écoutant, j'imaginais Mercy hochant la tête en signe d'assentiment. Il arrive parfois que l'on ne comprenne vraiment un personnage qu'en découvrant ce qu'il préfère par-dessus tout. » Kate DiCamillo vit dans le Minnesota.

Chris Van Dusen est l'auteur-illustrateur de nombreux livres pour jeunes lecteurs. Il a aussi illustré *Mercy Watson en balade*, de Kate DiCamillo. Il souligne : « Quand j'ai lu *Mercy Watson à la rescousse*, les personnages se sont aussitôt imposés dans mon esprit et ils se sont animés dès que j'ai commencé à les dessiner. C'est exactement le genre d'histoire que j'aime illustrer, une aventure merveilleuse, loufoque et remplie d'action. »

Chris Van Dusen vit dans le Maine.